Títulos publicados

1. *Con los pelos de punta.* Pasqual Alapont
2. *Lara, una niña muuuy exagerada.* Mercé Viana

Título original: *Laia, una xiqueta mooolt exagerada*

© *Mercé Viana Martínez, 2004*
© Traducción: *Soledad Carreño Albín, 2004*
© Il·lustraciones: *Paco Giménez Ortega, 2004*
© *Algar Editorial.*
Apartado de correos 225
46600 Alzira
www.algareditorial.com
Diseño de la colección: *Enric Solbes*

Impresión: *Bormac*
1ª edición: *mayo, 2004*
ISBN: *84-95722-66-6*
Depósito legal: *V-1753-2004*

La presente edición ha sido traducida con una ayuda de la Conselleria de Cultura, Educació i Esport de la Generalitat Valenciana.

PAPEL ECOLÓGICO
TCF LIBRE DE CLORO

FOTOCOPIAR LIBROS
NO ES LEGAL

Algar

COLECCIÓN CALCETÍN

Lara,
una niña muuuy
exagerada

Mercé Viana

Dibujos de **Paco Giménez**

Lara es una niña súper-súper moderna. Cada día lleva el pelo de un color distinto: que si hoy rubio, que si mañana azul, otro día negro y al siguiente rojo.

Como le gustan tanto los pendientes, siempre lleva puesto un precioso par en cada oreja aunque, de vez en cuando, se los tiene

que quitar porque el médico le dijo que tiene alergia a los metales y, si los lleva mucho tiempo puestos, las orejas se le ponen malitas.

Se le llenan de granitos minúsculos
pero que le pican mucho y,
cuando eso le sucede,
¡hay que ver qué mal lo pasa!

Es entonces cuando se tiene que
poner una pomada amarillenta tan
horripilante que da asco sólo con
verla.

A Lara le fascina tanto la música que siempre va canturreando alguna de las canciones de moda porque, eso sí, no veas cómo está al día de los conjuntos musicales del momento.

Pero, además de ser moderna,
de estar al día en lo que a colores
para el cabello se refiere,
de encantarle los pendientes y
de estar a la última en las
canciones de los cantantes más
guay, también le gusta escribir
todo lo que, un día sí y el otro
también, va imaginando,
y es que, todo hay que decirlo,
imaginación tiene para parar
un tren.

Había una vez

Por eso escribe cuentos de peces miopes con gafas verdes, historias de gigantes a los que les gustaría ser enanos y relatos de árboles que dan caramelos de fresa, pirulís de la China conchinchina y regaliz que, por mucho que chupes, nunca se acaba.

Siempre que sus padres, Quico y Quica, reciben visitas de amigos o de familiares, Lara aprovecha la ocasión para contarles sus historias inventadas.

—¡Qué imaginación tiene esta criatura! –dicen algunos.

—Esta niña sabe narrar las cosas tan bien que incluso llego a ver todo lo que va contando –comenta siempre una señora tan delgada como un fideo.

–¡Con una hija como ésta, nunca
os aburriréis! –dijo una ancianita
de cabellos blancos y sedosos
un día que tomaba chocolate
con sus padres.
No obstante, en todas las
reuniones familiares o de amigos,
siempre hay alguien que,
como el que no quiere la cosa,
comenta por lo bajo
para que Lara no lo pueda oír:

–¡Señor! ¡Señor! ¡Esta niña está
como una cabra! ¡Más le valdría
poner los pies en el suelo!
Y, nada más decirlo, Lara,
que tiene un oído de lo más fino,
le contesta al instante:
–Señora, ¡pues claro que tengo
los pies en el suelo! ¿Por dónde
caminaría si no? ¿Por el aire?

A la persona en cuestión le da
tanta vergüenza que, roja como un
tomate, no sabe dónde meterse y
Quico y Quica tienen que taparse
la boca para que nadie se dé cuenta
de las ganas de reír que tienen.

Los padres de Lara están muy orgullosos de la niña, aunque reconocen que tienen una hija muy exagerada porque siempre prefiere las cosas cuanto más grandes mejor: la mochila del colegio es la más grande que había en la tienda; el plato en el que toma la sopa parece el de un gigante comesopa y la goma de borrar que lleva parece una torta a medio cocer.

A veces, cuando la niña duerme,
Quica y Quico comentan:
–¿Tú crees que se le pasará pronto
esta fijación por las cosas grandes?
–¡No lo sé, Quico! Eso nos lo estamos
preguntando desde que nació.

–Es verdad. ¿Te acuerdas cuando
era una niña de pañales? ¡Angelito!
Si el biberón no era grande como
una garrafa, no tomaba ni
una gota de leche.
–Y ¿recuerdas lo que sucedió con
su primera cuchara?

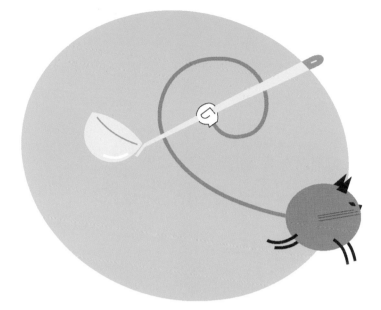

–¡Cómo no voy a recordarlo!
Hasta que no le dimos el puré
con el cucharón de servir el cocido,
no dejó de berrear.
–¡Angelito…! ¡Siempre igual!

Y con la ropa, Lara también se pasa tres pueblos. Estoy segura de que, si os la encontráis por ahí, la reconoceréis enseguida, porque hay días que lleva camisas inmensas que parecen de su padre, de su tío Víctor o incluso del abuelo cuando era joven.

Y otros días, la podemos ver con camisetas tan anchas y tan largas que cualquiera diría que son de su madre, o de su tía Carmen.

Las vecinas, que fisgonean por la ventana cuando ella sale de casa, la miran de arriba a abajo y siempre repiten lo mismo:

–¡Qué escándalo! ¡Tan pequeña y mira qué pinta lleva!

—¿Te das cuenta? ¡Hay que ver cómo visten las niñas de hoy en día!

—¿A quién se le parece? ¡Porque la madre y las tías van siempre como unas princesas!

Lara, que sabe cómo piensan estas señoras, procura no perder la sonrisa mientras su persona se convierte en el punto de mira, pero, cuando se aleja de las miradas del vecindario, murmura con cara de preocupación:

—Por mucho que me caliente
la cabeza, nunca entenderé la
relación que puede haber entre la
forma de vestirme y la curiosidad
de las vecinas por encontrar
a quién puedo parecerme.

Los días pasaban, uno tras otro,
siempre igual, pero, he aquí que,
una noche de luna mágica, la niña
tuvo un sueño que le hizo cambiar
esos gustos que tanto preocupaban
a todos. Aún no se había puesto
el sol, cuando a Lara le entraron
unas ganas tremendas de dormir,
cosa bien extraña porque
normalmente, nuestra amiga
siempre discutía con sus padres
por ser la última en acostarse y,

sin embargo, aquel día, cuando las
gallinas todavía cacareaban entre
dos luces, le resultaba imposible
mantener los ojos abiertos.

Ante la sorpresa de sus padres, pidió un bocadillo de jamón y queso, se bebió un buen vaso de leche con cacao y se fue pitando a la cama. El sueño la visitó enseguida y, a media noche, cuando las brujas y las hadas se reúnen para jugar a la tarara, la niña empezó a soñar.

Fue entonces cuando notó que su cama empezaba a crecer rápidamente y se hacía tan grande que la pobre se perdía entre las sábanas blancas y frías como la nieve. Al día siguiente sus padres la buscaban una y otra vez, pero la cama era tan gigantesca que tardaban horas y horas en encontrarla.

Al ir a desayunar, se encontró con un tazón tan descomunal que más bien le pareció estar delante de la piscina de un polideportivo y, cuando intentó acercar los labios al borde… ¡chof! se cayó dentro. Para no ahogarse, Lara tuvo que nadar con fuerza, tropezándose con trozos de galletas y terrones de azúcar que su madre había echado momentos antes.

Cuando al fin pudo salir, se
encontró con la sorpresa de que sus
padres, los abuelos, los primos e
incluso las vecinas chismosas
la esperaban sentados sobre unos
cojines en el suelo, muertos de
risa al tiempo que comentaban:

JA, JA, JA...! Ji, Ji, Ji...! · Jc

Ji!

–¡Seguro que se lo está
pasando bomba!
–Como le gusta todo tan grande…
–Pues con los regalos que le hemos
hecho ya no se quejará, no.

JA, JA...

O, Jo...! JA, JA, JA, JA ...

La niña los contemplaba pasmada.
¿De dónde habría salido aquella gente? JA
¿Por qué estaban todos mirándola?
¿Qué pintaban aquellas vecinas JA
fisgonas con su familia y por qué
estaban todos sentados en el suelo?

Lara cogió la servilleta interminable que le daba su madre entre risitas y carcajadas y, de repente, aquella gente empezó a entonar un canto de felicitación.

–Todos te deseamos un feliz día de cumpleaños y por eso… –empezó a decir el más anciano de todos.

–¿De cumpleaños? –le cortó la niña–.
¡Pero si todavía me falta una semana
para cumplir los ocho años!

–¡Ja! ¡Ja! ¡Ja! –se reían los otros.

–…y por eso –continuaba hablando
el más viejo de los presentes como si
Lara no lo hubiese interrumpido–
queremos obsequiarte con los regalos
que te mereces.

–¡Eso! ¡Eso! –gritaban todos.

–Nosotros te hemos traído el tazón
que acabas de estrenar –dijeron
los primos.

A continuación sus padres le
dieron una mochila para
ir a la escuela.
A pesar de que la niña continuaba
sin entender nada, al ver la
mochila se alegró de veras y,
con una sonrisa de media luna,
tendió sus manos.

Pero he aquí que, cuando quiso
cogerla, la mochila se convirtió en
una maleta gigantesca que, con
voz burlona, empezaba a gritar:
—¡Venga, mocosa, a ver si eres
capaz de cogerme!
Lara corría y corría detrás de ella
mientras la maleta gigante se
reía a carcajadas; sus padres también
se reían con ganas e, incluso,
el resto de los presentes reía y reía
como si estuvieran locos.

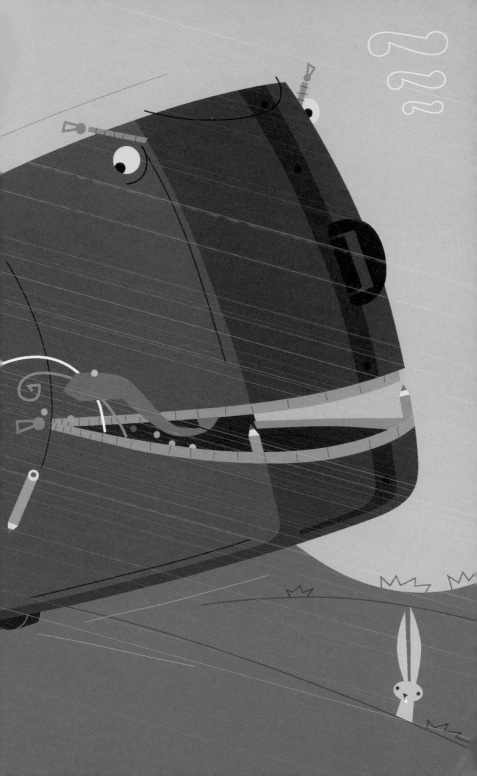

Por fin, la maleta gigantesca se detuvo y, ante la sorpresa de la muchacha, empezó a encoger, a encoger hasta conseguir un tamaño aceptable y, en ese momento, se convirtió de nuevo en una mochila.

Una voz extraña y lejana dijo:

—Ahora sí que podrás cogerme.

En ese mismo instante,
se levantaron del suelo
las vecinas fisgonas y le mostraron
unos pantalones y
una camiseta descomunales.

–Es nuestro regalo. Póntelo –le ordenaron autoritariamente.

La niña, sin quitarse la ropa que llevaba, obedeció con cierto temor. Pero he aquí que, cuando estaba poniéndose una de las perneras de los pantalones, ésta se convirtió en un túnel oscuro, muy oscuro.

JE, JE, JE...!

JO, JO, JO...!

La muchacha empezó a pedir
ayuda mientras, muerta de miedo,
caminaba a tientas:
—¿Es que no me oís? ¡Ayudadme,
por favor! —gritaba y gritaba
sin parar.

—Estoy cansada —exclamó desconsolada.

Lara se dejó caer y cerró los ojos:

—De todas formas, no puedo ver nada… Intentaré dormir y olvidarme de todo.

Pero al darse cuenta de que no le venía el sueño, Lara empezó a abrir lentamente los ojos al tiempo que distinguía un poco de claridad en la lejanía.

Poco a poco fue reconociendo
la figura de su madre, que
estaba abriendo las cortinas
del dormitorio para que entrara
la luz del día.

Lara, sobrecogida, de un salto
se sentó en la cama. La miró y
la revisó detenidamente. Sí, era
su cama y estaba como siempre,
se decía la niña. Dio un respiro
largo, larguísimo, de tranquilidad.

A continuación observó la silla
en la que dejaba la ropa y
nada más comprobar que era
la que había dejado la noche
anterior, sin cambios de tamaño,
volvió a respirar profundamente
y, por último, clavó los ojos donde
solía dejar la cartera de clase:

—Menos mal que no ha cambiado nada —balbuceó.

—¿Qué te pasa, mi vida? Te has despertado con la cara congestionada… ¿has tenido una pesadilla? —le preguntó su madre—. ¡Venga! Date prisa que llegarás tarde a clase.

Con un poco de miedo aún, la niña cogió los pantalones y la camiseta y se los puso.

Sí, eran los de siempre. Sonrió
y dijo:

–¡Mamá! Creo que ya va siendo
hora de que me compréis la ropa de
mi talla. ¿No te das cuenta de que
todo me queda un poco grande?

Su madre la miró extrañada y,
sin darle tiempo a reaccionar,
la niña volvió a decir mientras
cogía la mochila:

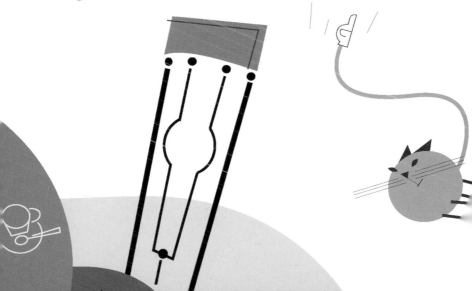

– ¡Uf, es enorme! ¡Casi parece una maleta! ¿Sabes una cosa, mamá? Cuando sea mi cumpleaños, me podríais regalar una mochila como las que llevan mis compañeros.

La sorpresa de Quica iba en
aumento. ¿Cómo era posible que
de la noche a la mañana su hija
hubiera cambiado tanto?,
se preguntaba la mujer.
Volvió a mirar a la niña y, al
comprobar que ahora parecía
más relajada que cuando se había
despertado, comentó mientras
salía del dormitorio:

—Algo le ha pasado esta noche,
pero sea lo que sea estoy contenta.
Me alegro de que esta criatura ya
no sea tan exagerada.